coulissen

getoupeerde haren

souffleur

tompouce

AVI:	M6
Leesmoeilijkheid:	woorden met een ou die wordt uitgesproken als oe (douche, coulissen, couscous)
Thema:	theater

Zwijsen

Monique van der Zanden
De zonnekroon

met tekeningen van Helen van Vliet

Bikkels

Naam: *Kars Tolhuis*
Ik woon met: *papa-twee, mama en baby Silka*
Dit doe ik het liefst: *motorcross, maar dat mag ik niet*
Hier heb ik een hekel aan: *meidendingen*
Later word ik: *een wereldberoemde stuntman*
Mijn grootste wens: *een echt avontuur beleven*

1. Kars wil een avontuur

'Dit is mijn verlanglijstje,' zegt Kars terwijl hij een vel papier aan papa-twee geeft. 'Volgende week ben ik jarig of was je dat vergeten?'
'Om de dooie dood niet,' zegt papa-twee. Hij pakt het vel aan en leest:

1. een avontuur
2. een brand blussen
3. een boef vangen samen met de politie
4. met piraten vechten
5. op leeuwen jagen in Afrika
6. met een raket naar de maan

'Nou, nou,' zegt papa-twee, 'durf je dat allemaal wel?'
'Ik ben toch geen meid,' snuift Kars. 'Ik durf nog veel meer. Weet je wat ik het liefste zou willen? Met een vampier vechten! Maar ja, die bestaan niet.'
Papa-twee kijkt nog eens naar het verlanglijstje en krabt zich achter zijn oren.
'Het is zeker allemaal te duur?' zegt Kars en hij rolt met zijn ogen. 'Nou ja, doe dan maar een filmpje met een avontuur, da's ook goed.'
'Nou ... ik zal het er eens met mama over hebben,' belooft papa-twee. 'Enne ... nu we het toch over avonturen hebben: durf je ook onder de douche? Want het is bedtijd!'

9

'Stel je voor dat er een krokodil opduikt uit het douche-putje,' zegt papa-twee als Kars even later onder de douche staat. 'Een heel griezelige, gevaarlijke krokodil. Zijn lijf is natuurlijk bedekt met een miljoen walgelijke haren, want daar zit het doucheputje vol mee. Wat doe je dan?'

'Ik ruk het douchegordijn van de haken en gooi het over hem heen, zodat hij me niet kan bijten,' schept Kars op, zwaaiend met de fles Douche & Bad. 'En dan knijp ik hem met mijn blote handen dood!'

Papa-twee grinnikt: 'Oei, ik ben blij dat ik geen krokodil ben.'

'Dieven vangen kan ik ook,' zegt Kars terwijl hij Douche & Bad op de spons spuit. 'Als je vannacht bang bent, roep je me maar.'

Op woensdag begint de meivakantie. Kars hangt lui op de bank en denkt: nog een paar dagen, dan ben ik jarig. Wat zou ik krijgen? Boven krijst baby Silka in haar wieg, mam probeert van alles om haar te sussen. Silka huilt heel veel. Maar ja, ze is dan ook een meisje. Papa-twee heeft dienst; hij werkt bij de douane en moet ervoor zorgen dat er geen smokkelaars over de grens komen.

Misschien mag ik een keer mee naar de douane om smokkelaars te vangen, denkt Kars, want ik ben heel sterk! Met papa-een deed hij vaak aan armpje-drukken en Kars won altijd. Kars was heel verdrietig toen papa-een ziek werd en doodging.

Opeens gaat de deurbel. Kars springt op en doet open. Misschien brengt de postbode wel alvast een pakje voor zijn verjaardag! Maar het is de postbode niet. Kars deinst terug. Op de stoep staat een man met een enorme snor. Hij heeft een gele kuitbroek aan en draagt een mantel van rood, glanzend velours. Kars weet dat, want zijn oma heeft gordijnen van precies dezelfde dikke, zachte fluwelen stof. De man kijkt loerend naar links en naar rechts, alsof hij er zeker van wil zijn dat de kust veilig is. Dan buigt hij zich voorover en sist: 'Ben jij Kars Tolhuis?'

'J-ja,' stottert Kars. 'En wie bent u?'

De man fluistert: 'Ik ben Florijn, de troubadour.'

'Wat is een troubadour?' vraagt Kars.

'Een troubadour is iemand die liedjes zingt,' zegt de man. 'Ik treed op met theatergroep Couscous. We reizen van stad naar stad en van dorp naar dorp om op de pleinen toneel te spelen en muziek te maken.'

'O,' zegt Kars, en hij denkt: zou hij om geld komen vragen? De troubadour knijpt zijn ogen tot spleetjes en zegt heel zachtjes: 'We hebben een held nodig!'

'Wat?' Kars denkt dat hij het niet goed heeft gehoord.

'Een held,' herhaalt de troubadour. 'We hebben gehoord dat jij héél dapper bent. Je bent nooit bang, en sterk en slim ... Daarom kom ik je vragen om met mij mee te gaan. Alsjeblieft, help ons!' De troubadour strekt zijn hand uit naar Kars.

Met een harde knal smijt Kars de deur voor de neus van de

rare snoeshaan dicht. Hij rent naar de woonkamer, hurkt neer bij het raam en loert tussen de gordijnen door naar buiten. Als die griezel nou maar weggaat! Kars zou wel gek zijn om mee te gaan met iemand die hij niet kent! Gelukkig belt de troubadour niet voor de tweede keer aan. Maar hij blijft wel een tijdje voor het huis staan en loert naar alle ramen. Dan sloft hij mismoedig weg.

'Wat toevallig dat we couscous eten,' lacht papa-twee die avond. 'Ik heb vanmiddag in de stad een theatergroep gezien die Couscous heette. Ze speelden een grappig toneelstuk over een tweeling die iedereen voor de gek hield.'
Kars verslikt zich bijna in zijn couscous.
'Was er soms ook een troubadour bij?' vraagt hij.
'Ja,' zegt papa-twee, 'hoe weet jij dat?'
'O, dat raad ik zomaar,' mompelt Kars.
'Ze speelden leuk, maar het was armoe troef,' zegt papa-twee. 'Hun kleren waren versleten en alles had dringend een lik verf nodig.'
Zie je wel, denkt Kars. Ik heb die troubadour verkeerd verstaan. Hij zei natuurlijk niet: we hebben een held nodig, hij zei: we hebben geld nodig. Dat dacht ik al ...
Papa-twee vertelt: 'Ze zijn op tournee. Vanavond trekken ze naar de volgende stad.'

2. Held gezocht

Die nacht wordt Kars wakker van een zacht geluid. Het
klinkt vlak naast zijn bed! Vóór hij overeind kan komen,
wordt er een grote hand over zijn mond gelegd. Kars gilt,
maar door de hand blijft de gil steken in zijn keel. Zijn hart
roffelt een drumsolo. Hij probeert te zien wie er naast zijn
bed staat. Is het misschien gewoon papa-twee? Maar die
legt toch geen hand op zijn mond? Het is zo donker in de
kamer dat hij alleen maar een zwarte schim ziet.
Er flikkert een licht aan en Kars knippert met zijn ogen.
Hij herkent de man met de mantel van velours die over
hem heen staat gebogen. Het is de troubadour! Hij ziet ook
een meisje dat ongeveer even oud is als hijzelf. Ze schijnt
met een zaklantaarn en fluistert: 'Sst, we doen je niks,
erewoord. Luister alleen maar heel even naar ons.'
'Zul je stil wezen?' vraagt de troubadour voor hij zijn hand
weghaalt van Kars' mond.
Kars knikt van ja.
'Ik weet dat jij Kars heet,' zegt het meisje. 'Ik ben Loulou.
Florijn en ik horen bij theatergroep Couscous. Florijn is de
baas van onze groep. We hebben je nodig, Kars.'
'Hoezo?' piept Kars met een kurkdroge mond.
'Het is te veel om nu uit te leggen. Ga met ons mee. We
hebben gehoord hoe dapper je bent, je bent voor niets
bang! Jij bent precies de held die we zoeken.'
'Wie zegt dat?' vraagt Kars.

'Je vader! Hij was vanmiddag bij onze voorstelling en hij vertelde apetrots over jou. Je durft met krokodillen en dieven te vechten, zei hij. Florijn is meteen op weg gegaan om je op te halen, maar hij kwam met hangende pootjes terug. Je wilde niet met hem mee. Ik heb hem uitgelachen en gezegd: natuurlijk wilde hij niet met je mee. Je waarschuwt ons toch ook altijd om niet met vreemden mee te gaan. Een held is toch zeker niet stom.'

Het meisje Loulou kijkt Kars met grote, bewonderende ogen aan en hij voelt zich warm worden.

'Nee, natuurlijk niet,' zegt hij gewichtig. 'Helden zijn juist heel slim.'

'Ik heb een brief geschreven,' zegt Loulou. Ze frunnikt in een van haar zakken en Kars hoort papier ritselen.

'Het is een brief aan je ouders waarin ik vertel dat we je een weekje of zo lenen. Als ze willen weten waar je zit, hoeven ze alleen maar te bellen. Kijk, ik heb het telefoonnummer van Florijns mobieltje erop gezet.'

'Ik heb zelf een mobieltje,' zegt Kars.

'Ja, maar we gaan naar het buitenland. Misschien werkt het daar niet.'

Loulou drukt Kars een brief onder zijn neus. 'Leg hem op je bureau en kom mee.'

'Maar ... wat moet ik dan doen?' vraagt Kars.

'Ik zal je straks alles vertellen, kleed je nu vlug aan.'

Loulous ogen stralen en ze kijkt naar Kars alsof ze een ridder in een harnas ziet die net de kop van de draak heeft

14

afgehakt.

'Je doet het toch, hè?' smeekt ze.

Kars knikt.

'Je moet je wel omdraaien als ik me aankleed,' zegt hij.

Onder het slaapkamerraam van Kars staat een ladder.
Loulou wipt over de vensterbank en is in een paar tellen
beneden. Kars kijkt haar na. Hij wil net zo stoer als zij over
de vensterbank wippen, maar opeens wordt hij duizelig van
de diepte. Onhandig schuift hij het raam uit en de ladder
op. Oei, wat wiebelt dat! Voetje voor voetje daalt Kars de
ladder af, terwijl hij zich stijf vastklampt.

'Waar bleef je nou?' fluistert Loulou.

'Mijn schoen bleef haken,' liegt Kars.

De troubadour stapt in het gras naast hem en even later
lopen ze met z'n drieën de straat uit. Hun voetstappen
weerkaatsen hol tegen de muren van de huizen. Kars kijkt
om zich heen. Hij is nog nooit buiten geweest, midden in
de nacht. De stad is heel leeg. Rond elke lantaarnpaal is een
lichtvlek, maar daardoor zijn alle hoeken en gaten juist
extra donker. In films staan daar altijd de monsters en
boeven op de loer ...

Na een tijdje lopen ze de stad uit, het bos in. De maan
schijnt zilver op de bladeren van de bomen. Takken bewe-
gen als griezelige grijparmen in de wind. Dit is een echt
avontuur, denkt Kars opgewonden. Ik zit zomaar opeens in
een echt avontuur. Of zou het een droom zijn? Droom ik

en word ik over een minuutje wakker?
De maan verdwijnt achter een wolk en opeens is het
pikkedonker. Kars struikelt over een boomwortel. Twijgen
slaan tegen zijn gezicht. 'Au,' roept hij. Dit voelt maar al te
echt!

Na een hele tijd zegt Loulou: 'We zijn er bijna.'
Het pad gaat omhoog naar een plek waar een oude boom
zo krom groeit dat ze onder de dikke boomstam door
moeten kruipen om verder te kunnen.
'Ga jij maar voorop,' zegt Loulou.
Kars wringt zich onder de boomstam door en komt aan de
andere kant overeind ...
'Halt!' blaft een stem.

3. De zonnekroon

Kars maakt een luchtsprong van schrik en geeft een harde
gil. Achter hem kruipen Loulou en de troubadour onder de
boomstam uit.
'Het is Haroun maar,' zegt Loulou. 'Hij hoort bij onze
groep en staat hier op wacht. Dat is nodig, weet je, want ...'
'Straks,' bromt de troubadour. 'Nu we Kars hebben, gaan
we er snel vandoor.'
'Is dat de held die we zochten?' vraagt Haroun verwonderd.
'Waarom gilde je zo?'
Kars krijgt een hoofd als een biet, maar gelukkig kan niemand dat zien in het aardedonker.
'Het was natuurlijk een list,' snauwt hij. 'Snapte je dat niet?
Een held doet vaak net alsof hij bang is zodat de schurk
denkt: wat een watje. Dan let hij niet meer zo goed op en
bám ... de held slaat 'm voor pampus!'

Even verderop staan op een open plek in het bos drie
woonwagens rond een vuurtje.
'Welkom bij Couscous,' zegt Loulou trots. 'Dit zijn onze
woonwagens.'
'Hebben jullie geen touringcar?' vraagt Kars verwonderd.
Hij dacht dat theatergroepen altijd reisden met een
touringcar, zo'n grote bus met airco, koele drankjes en een
wc aan boord.
'Nog niet, maar na dit avontuur misschien wel,' lacht

Loulou. 'Kijk, de rest van de groep wacht al op ons.'

Er gaat een gejuich op als de leden van Couscous Kars zien. 'Het ies jullie gelukt!' roept een dikke man met een koksmuts op zijn hoofd blij.

'Dat is mijn vader Louis,' vertelt Loulou. 'Hij kookt voor Couscous en hij is de beste kok van Frankrijk.'

'Iek ben de beste kok van heel de wereld!' pocht Louis. Hij schudt de hand van Kars alsof hij waterdruppels van de sla slaat.

Loulou stelt de anderen aan Kars voor. 'Florijn, de troubadour, ken je al. Dit is zijn dochter Pippa.'

Kars schudt de hand van een blond meisje met brutale bruine ogen. Ze is net zo oud als hij.

'Dit zijn Tumtum en Zwarte Nel,' gaat Loulou verder terwijl ze wijst op een lange magere lat met bruin piekhaar en een mollige vrouw met pikzwarte haren die met een tak in het kampvuur port. 'En dit is Diede, onze toneelmeester en souffleur.'

'Wat is een souffleur?' vraagt Kars.

'Dat woord komt uit het Frans,' legt Loulou uit. 'Het betekent zoiets als: iemand die fluistert. Als een van ons tijdens het toneelspel zijn tekst niet meer weet, fluistert Diede de eerste woorden om ons weer op gang te helpen.'

De souffleur knikt vriendelijk naar Kars. 'Wat fijn dat je ons komt helpen, knul,' zegt hij.

Kars kijkt de kring rond naar alle bewonderende gezichten en zegt zo trots als een pauw: 'Een echte held staat altijd

klaar!' Dat heeft hij wel eens gehoord in een film.

Florijn, de troubadour, roept: 'Doof het kampvuur, dan vertrekken we. Loulou en Pippa zullen je onderweg alles vertellen wat je weten moet, Kars.'

Couscous reist met drie woonwagens, elk getrokken door een pony. Loulou, Pippa en Kars zitten samen in de achterste woonwagen, die gemend wordt door de kok Louis. Binnen bengelt een olielamp aan het plafond die geheimzinnige, flakkerende schaduwen werpt.

'Waar gaan we naartoe?' vraagt Kars, toch wel een beetje ongerust. Hij vindt het een vreemd idee dat hij zomaar verdwijnt in de donkere nacht.

'Naar de Ardennen,' vertelt Loulou. 'Dat is in België. Nu jij bij ons bent, kunnen we eindelijk op jacht naar de schat.'

'Een schat?'

'Nou en of! Papa en ik hebben tijdens onze vakantie in Frankrijk een oude schatkaart gevonden.'

Loulou haalt een vel oud, vergeeld papier onder haar bankje uit. Het papier is aan de randen ingescheurd. Voorzichtig vouwt Pippa het vel open en spreidt het uit op tafel. Kars buigt zich er opgewonden overheen. Een echte schatkaart! Hij ziet bomen, rivieren, dorpen, een watermolen en nog veel meer. Overal staan plaatsnamen en namen van grotten, rivieren en bossen. Op drie plaatsen is een kruisje getekend.

'Ligt er bij elk kruisje een schat?' vraagt Kars.

'Was het maar waar,' grinnikt Pippa.

Loulou zegt: 'Nee, op die plaatsen staan letters in hout of steen gekrast. Wie ze vindt en in de goede volgorde zet, weet de naam van de plaats waar de schat verborgen is.'

'Wat is het voor schat?'

'De zonnekroon!' roept Pippa.

Als ze het gezicht van Kars ziet, vertelt ze: 'Bijna vierhonderd jaar geleden was er in Frankrijk een koning die de Zonnekoning werd genoemd. Hij was schatrijk. Het mooist van al zijn rijkdommen was de zonnekroon, de gouden kroon die hij kreeg toen hij koning werd. Hij was toen pas vijf jaar oud.'

'Een kleuterkoning,' grinnikt Kars. Hij ziet zijn zusje Silka al voor zich met een gouden kroon op haar hoofd!

De woonwagen bonkt door een kuil en ze grijpen zich vast aan de tafel. Dan vertelt Loulou: 'Meer dan honderd jaar nadat de Zonnekoning gestorven was, brak er een opstand uit in Frankrijk. De mensen wilden geen koning meer en joegen hem weg. Ze stichtten brand en plunderden de schatkamer. Een dappere ridder is er toen met de zonnekroon vandoor gegaan om hem in veiligheid te brengen. Hij verstopte de kroon in de Ardennen en maakte deze schatkaart, die daarna meer dan tweehonderd jaar zoek is geweest.'

Kars vraagt verbaasd: 'Waarvoor hebben jullie mij nodig? Ik vind het wel leuk hoor, maarre... Bij elk kruisje staat een plaatsnaam: Loup-sur-Lesse, Risé en Crouton. Rij er gewoon naartoe en ga zelf op zoek.'

Loulou schudt somber haar hoofd. 'We rijden vannacht in één ruk naar Loup-sur-Lesse, dat is het probleem niet.'

Pippa zegt vinnig: 'Het probleem is Couzijn.'

'Couzijn? Wie is dat?'

'Een gemene dief en een verrader! Hij hoorde bij onze groep, hij was onze vriend en allerbeste toneelspeler. Maar toen hij de schatkaart zag, probeerde hij hem te stelen. We waren woedend en Florijn gooide hem uit de groep. Maar sinds die dag ...'

Loulou draait de olielamp heel laag, zodat het bijna donker wordt in de schommelende woonwagen. Ze buigt zich naar het raam. Voorzichtig trekt ze de gordijntjes op een kier en loert naar buiten.

Ze fluistert: 'Kijk zelf maar.'

4. De valse Couzijn

Kars gluurt door de kier. Achter hen op het donkere pad ziet hij in de verte een piepklein lichtje dansen!

'Couzijn volgt ons,' zegt Pippa, terwijl ze met z'n drieën naar het slingerende lichtje staren. 'Bij elke voorstelling die we geven, vermomt Couzijn zich en loert hij op een kans om de schatkaart te stelen. Omdat hij zo'n goede toneel-speler is, lukt het hem soms bijna. Maar tot nu toe waren we hem gelukkig altijd te slim af.'

Loulou trekt de gordijntjes weer dicht en draait de olie-lamp hoger. Dan zegt ze: 'Toch zijn we doodsbenauwd dat het hem vandaag of morgen wél lukt. Daarom hebben we een held nodig. Vanaf nu moet jij de schatkaart bewaken.'

'Ik?' zegt Kars verschrikt. Schatzoeken is leuk, maar zo'n griezel die in het donker achter je aan sluipt, is eng!

'Ja, als de schatkaart bewaakt wordt door een échte held, kan Couzijn hem nooit te pakken krijgen.'

'O j-ja.'

'Verstop hem maar onder je T-shirt,' raadt Loulou aan.

'Dat van die held was een goed idee, hè?' zegt Pippa, terwijl ze in haar handen wrijft. 'Het was mijn idee. Je bént toch wel een echte held, hè?'

'Natuurlijk!'

'Hoeveel boeven heb je eigenlijk al gevangen?'

'O ... een stuk of tien, denk ik.'

'Dan wordt dit een makkie voor jou,' lacht Pippa.

Als Kars even later in bed ligt, doet hij geen oog dicht. De woonwagen kraakt en hotst door de diepe kuilen in de weg. Soms strijkt er met een krassend geluid een tak over het dak. Zouden mama en papa-twee al ontdekt hebben dat hij weg is? Misschien zijn ze wel boos op hem omdat hij is meegegaan met Couscous. Dan bellen ze op dat hij meteen moet terugkomen. Kars zucht diep. Nee, dat zal wel niet. Ze zijn vast en zeker heel blij voor hem: hij wilde toch een avontuur? Nou, hij heeft een avontuur!
Waarom heeft hij dan zo'n akelig gevoel in zijn buik? Kars zucht en woelt. Hij moet almaar denken aan het lichtje dat achter hen aan slingert in de donkere nacht. Een schurk in het echt is toch wel heel wat anders dan een schurk op televisie of in een boek! Stel je voor dat hij Kars aanvalt ... Kars neemt zich voor om dicht bij de anderen in de buurt te blijven, en dat helpt. Eindelijk valt hij gerustgesteld in slaap.

'Wakker worden, luilak,' roept Pippa de volgende ochtend, en ze kietelt de voeten van Kars die onder de dekens uitsteken. 'We zijn in Loup-sur-Lesse. We hebben alles al opgebouwd en over een uur is de eerste voorstelling.'
Kars schiet overeind in zijn bed.
'Kom,' grinnikt Pippa, 'Louis heeft ter ere van jou tompouces gemaakt. Je hebt de boterhammen gemist, dus nu krijg je een tompouce als ontbijt.'
De anderen zitten aan de koffie en thee als Kars met een

schaapachtig gezicht de woonwagen uitkomt. Ze heffen hun tompouce in de lucht en roepen: 'Lang leve onze held!' Louis drukt hem met een brede grijns een glas melk en een tompouce in zijn handen en zegt: 'En vanavond maak iek een lekkere tournedos ter ere van de held. Dat ies een verrukkelijke biefstuk.'

Kars gaat met zijn tompouce op het trapje van de woonwagen zitten en kijkt nieuwsgierig in het rond. De wagens staan in een halve cirkel op het dorpsplein van Loup-sur-Lesse. Rondom het dorpje rijzen beboste heuvels op. Hier en daar ziet Kars grimmige, grijze rotsen tussen de bomen. Diede, de toneelmeester, heeft met hulp van de anderen een toneel gebouwd met aan de achterkant een decor dat een kasteel voorstelt. Op het plein staan al veel mensen zich te vergapen aan het spektakel.

'We zijn heel blij dat je ons komt helpen, Kars,' zegt Zwarte Nel. 'Hoe ga je het precies aanpakken?'

'Ga je Couzijn in de val lokken?' vraagt Tumtum.

'Dat moeten jullie niet vragen,' zegt Florijn, de troubadour. 'Als een held een list verzint, moet die geheim blijven, anders mislukt het.'

'Ik bewaak de schatkaart,' zegt Kars en hij kijkt heel stoer.

'En hij gaat de letters zoeken, hè Kars?' zegt Pippa.

'Ik?' roept Kars verschrikt. 'Maar dan moet ik in mijn eentje ...'

'Natuurlijk gaat Kars die zoeken,' lacht Loulou en ze kijkt trots naar Kars. 'Wie zou dat beter kunnen dan hij?'

25

Pippa buigt zich naar Kars en zegt: 'Je kunt het beste vertrekken als onze voorstelling begint. Couzijn staat dan altijd naar ons te loeren en zal niet op jou letten.'

'Hij kent jou niet eens,' grinnikt Haroun. 'Jij bent ons geheime wapen.'

Kars zet zijn tompouce op het trapje. Hij heeft opeens buikpijn.

'Lust je hem niet meer? Ik eet hem wel op!' lacht Loulou.

'Kom meid,' zegt Zwarte Nel. 'Je hebt nog een lik rouge nodig op je wangen voor de voorstelling begint.'

Als de voorstelling begint, gluurt Kars om een hoekje naar de toeschouwers. De mensen kijken geboeid naar de troubadour, die met veel grapjes de inleiding op het spel zingt. Hij speelt op zijn accordeon en zingt in het Frans, want dat is de taal die de mensen hier spreken.

Kars vindt de accordeon een cool instrument. Met een zucht haalt hij de foto uit zijn zak tevoorschijn die hij van Loulou heeft gekregen. Het is een foto van Couzijn: een jongeman met donkere haren, een rechte neus en een stralende lach. Kars kan hem gemakkelijk herkennen en uit zijn buurt blijven. Maar als Couzijn een pruik opzet en zijn neus knobbelig maakt met toneelwas en een baard aanplakt ...

Kars speurt het publiek af. Zou Couzijn daar al staan? Misschien is het die man vooraan met die hoge hoed en zwarte snor wel. Kars tuurt ingespannen naar de neus van de kerel.

Ja, het zou best kunnen ... of is het die kale boer daar opzij? Nee, wacht, die journalist daar die tegen een paal geleund staat en druk in zijn boekje schrijft! Hij heeft blond krulhaar, maar dat is vast een pruik. Wat een slimme vermomming. Niemand vindt het raar als een journalist tussen de woonwagens slentert op zoek naar een artiest die een paar vragen wil beantwoorden.

'Of op zoek naar een schatkaart ...' mompelt Kars. 'Mij hou je niet voor de gek, gemene dief. En zolang jij hier staat, tussen het publiek, kan ik veilig het bos in!'

Kars glipt weg van het marktplein, terwijl achter hem de mensen lachen en in hun handen klappen. In zijn eentje loopt hij door de straatjes in de richting van de beboste heuvels die achter de dorpskerk oprijzen. Hij heeft de schatkaart goed bestudeerd. In die heuvels, bij een riviertje, is een oude watermolen. Daar staat het eerste kruisje!

5. Anne Maria

De laatste straatjes van Loup-sur-Lesse lopen steil omhoog.
Hijgend en puffend komt Kars bij de rand van het bos,
waar een wegwijzer staat. In het houten plankje aan de paal
zijn krullerige letters uitgesneden: *moulin à eau*, staat er.
Kars heeft geen idee wat het betekent, maar Loulou heeft
hem verteld dat moulin het Franse woord voor molen is.
Ze sprak het uit als: moe-lèn. De pijl wijst dus vast en zeker
naar de watermolen.
Het bos op de helling ziet er donker en dreigend uit. Kars
loopt aarzelend een rotsachtig pad op dat langs een riviertje de heuvel op slingert. Het water danst wit en bruisend
over een bedding van keien. Al gauw is Kars omringd door
bomen en struiken, en overal hoort hij geritsel en gekraak.
Kars wist niet dat er in een bos zoveel enge geluiden waren.
Zijn hart klopt steeds sneller en zijn mond wordt kurk-
droog. Hoort hij kleine beestjes of is het soms toch Couzijn
die hem volgt in de struiken naast het pad? Heeft de schurk
Kars zien weggaan van het plein? Krak, krak, ritsel ... Kars
begint te zweten van angst. Daar beweegt een tak ...
Opeens schiet er een eekhoorn vlak voor zijn voeten uit de
struiken. Kars geeft een schreeuw. Het dier schiet langs een
boomstam omhoog en zeilt met zijn pluimstaart als roer
door de lucht, van de ene kruin naar de andere.
Kars staat nog steeds verstijfd van schrik als hij achter zich
hoort roepen: 'Jongen ... hé, jongen!'

Met een ruk draait hij zich om.

Een vrouw met grijs piekhaar klimt voetje voor voetje over het pad omhoog. Ze loopt helemaal krom, waarbij ze zwaar op een stok leunt. Op haar rug draagt ze een enorme takkenbos. Als ze bij Kars komt, vraagt ze met een dunne stem: 'Waar ga je naartoe, jongen?'

'Naar de watermolen,' zegt Kars verbaasd en ook opgelucht. Het is maar een oud omaatje. 'U praat Nederlands!'

'Ja, ik kom niet uit deze streek. Ik heet Anne Maria en mijn vader was kunstenaar. Hij kocht hier een huisje om rustig te kunnen schilderen. Wat heerlijk dat je naar de watermolen gaat, lieve jongen. Ik woon daar vlakbij. Wil je me helpen deze takkenbos naar boven te sjouwen? Hoe heet je?'

'Ik heet Kars,' zegt Kars, 'en ik wil u best helpen, hoor. Ik ben oersterk!'

Hij is dolblij dat hij gezelschap heeft, en dan nog wel van iemand die de weg kent. Anne Maria tilt de bos hout van haar rug op die van Kars.

'De kortste route loopt over een pad dat een beetje lastig is,' vertelt ze. 'Durf je dat?'

'Ik durf alles,' puft Kars die zich schrap zet onder het gewicht van de takken. Wat is die bos zwaar! Hoe bestaat het dat zo'n oud vrouwtje hem tot hier gedragen heeft?

Het pad waarover de kortste route loopt is niet een béétje lastig ... het is reusachtig lastig! Het loopt steil omhoog en

omlaag over grote, ruwe rotsen die nat zijn van het spatten-
de water van het riviertje. Kars klautert omhoog en omlaag,
kreunend onder het gewicht van de takkenbos. Soms glijdt
hij uit over de spekgladde stenen en valt plat op zijn buik,
waarna hij met veel moeite weer opkrabbelt. Na een half
uur is hij nat, geschramd, geschaafd en bekaf. Hij hijgt als
een paard en heeft ontzettende dorst.

'Hou je het nog vol?' vraagt Anne Maria bezorgd. Het is
wonderlijk hoe kwiek het oude vrouwtje met haar stok over
de rotsen dartelt. 'O kijk, de bosbessen bloeien,' babbelt ze
terwijl ze wijst op de lage struikjes die langs het pad groei-
en. Ze zitten vol kleine, roze bloemetjes. 'Wat jammer dat
het nog geen bessen zijn. Van die lekkere, sappige, paarse
bessen ... Die zou je nu wel lusten, toch?'

Kars heeft geen adem meer over om antwoord te geven en
knikt alleen maar.

Anne Maria kijkt hem aan. 'Arme jongen, je hebt vast reusachtige honger en dorst. Weet je wat? Als we thuis zijn, zal
ik vlierpannenkoeken voor je bakken. Langs dit pad staat
een vlier die volop bloeit. We plukken de bloemen en ...
nee maar, daar is hij al.'

Ze stoppen bij een grote struik vol platte trossen witte
bloemetjes. Met een zucht laat Kars de takkenbos op de
grond zakken. Anne Maria is al bezig met plukken.

'Heb je wel eens vlierpannenkoeken gegeten?' vraagt ze.

'Mmm... ik doop deze bloemschermen in een beslag van

31

meel, melk en eieren en dan gaan ze in de pan. Als de ene kant gaar is, knip ik de steeltjes eraf en hup ... dan bak ik de andere kant knapperend bruin.'

Als Kars zijn arm strekt om een bloem te plukken, klinkt er een ritselend geluid op zijn borst.

Anne Maria vraagt: 'Hé ... wat heb je onder je T-shirt?'

'N-niks,' stottert Kars, 'u hoorde vast een muis die weg-schoot in de vlierstruik.'

'Ach ja, mijn oren zijn niet zo goed meer,' glimlacht Anne Maria. Maar haar ogen lijken nog prima, want ze kijken Kars door de dikke glazen van haar bril verbazend helder en pienter aan. 'Wat ga je doen bij de oude watermolen, jongen? Hij werkt al heel lang niet meer. Al het ijzer is verroest en al het hout verrot. Het waterrad zit vol mos en algen en als je het mij vraagt, stort op een dag alles in.'

Nu krijgt Kars een hoofd als vuur, want hij weet geen smoes te bedenken! 'Dat is een geheim,' stottert hij.

'Geheimen zijn er om te bewaren,' zegt Anne Maria opgewekt. 'Kom, dan gaan we verder.'

Het riviertje wordt steeds breder en het water stroomt steeds harder. Gorgelend en sissend spat het van de berg-helling. Opeens splitst de weg zich en staan Kars en Anne Maria voor een brug die niet meer is dan één boomstam. 'O nee ...' zegt Kars. 'Moeten we over die boom?' Hij wijst op het andere pad dat verdergaat aan deze kant van de rivier. 'Kunnen we niet beter dát pad nemen?'

'Welnee,' zegt Anne Maria, 'dat leidt niet naar de watermolen. Trek je T-shirt maar uit, jongen. Geef het aan mij,
dan blijft dat in ieder geval droog als je per ongeluk in het
water valt.'

Ze steekt haar hand uit.

Kars deinst terug en schudt zijn hoofd. 'Dat hoeft niet,'
zegt hij. Hij wil niet dat Anne Maria de schatkaart ziet.
Maar dan bedenkt hij vol schrik dat de kaart niet nat mag
worden!

Opeens flitst er een idee door zijn hoofd. 'Ik ... eh... ik heb
gelogen, daarstraks bij de vlier,' bekent hij. 'Ik heb wél iets
onder mijn T-shirt ... Het is een schatkaart. Ik speel een
spel met mijn vrienden, en daarom moet ik naar de watermolen. We spelen dat daar een schat verstopt is.'

'Wat leuk,' lacht Anne Maria. 'Geef mij die schatkaart
maar, stel je voor dat de inkt uitloopt. Ik breng hem veilig
voor je naar de overkant.'

Kars trekt de schatkaart onder zijn T-shirt uit en steekt
hem uit naar Anne Maria. Hij ziet niet dat haar ogen
fonkelen als haar vingers het oude papier aanraken ...

6. In de val!

'Pas op!' krijst een stem.

Met een ruk trekt Kars de schatkaart terug. Dat was de stem van Pippa! Ze rent op hen af over het pad, de rouge van het toneel nog op haar wangen, en gilt: 'Pas op, dat is Couzijn!'

Achter haar draaft Loulou, zwaaiend met haar armen.

Kars staart met open mond naar de oude vrouw.

Het lieve, oude omaatje staat opeens rechtop en trekt haar gezicht in een gemene grijns.

'Ja, ik ben Couzijn,' brult ze, nu met een zware basstem. Ze rukt de grijze pruik van haar hoofd en trekt de dikke bril van haar neus. Ze heft haar stok op om Kars een mep te geven.

'Geef op die schatkaart!'

'Niet doen,' gilt Loulou en Pippa roept: 'Grijp die boef!'

Maar Kars kijkt wel uit. Hij duikt onder de stok van Couzijn door en stormt op bibberende benen weg over het smalle pad dat langs de rivier loopt. Het kan hem niet schelen waar het naartoe leidt. Als het maar uit de buurt is! Achter hem springen Pippa en Loulou boven op Couzijn. Ze slaan en schoppen hem en proberen hem tegen de grond te werken. Maar de schurk is veel sterker dan zij. Hij pakt Pippa in haar nek en Loulou bij haar arm en schudt hen tierend door elkaar.

Kars hoort Couzijn tieren en Pippa en Loulou gillen, maar

hij keert niet om. Hij vliegt over het pad, springt over een omgevallen boom en wringt zich door een nauwe kloof vol brandnetels en wild struikgewas. Glijdend en vallend krabbelt hij een steile helling vol losse keien af, een wolk van stof achter zich latend. Hij stuift een bocht om ... en staat opeens bij de oude watermolen.

Happend naar adem leunt hij tegen een boom en denkt: Couzijn verkocht smoesjes. Dit pad ging wél naar de molen. Die gemene dief wilde alleen maar dat ik mijn T-shirt uittrok zodat hij de schatkaart kon stelen.

Opeens hoort hij dreunende voetstappen achter zich op het pad. Kars springt op als een opgejaagd konijn. Daar heb je hem! In paniek rent hij naar de watermolen, duwt de deur opzij die los in zijn hengsels hangt en wringt zich naar binnen.

In de molen is het schemerdonker. Het enige licht valt door een raampje waaruit het glas al lang geleden verdwenen is. Muizen schieten alle kanten op en wippen weg in gaten en kieren. Maar voor Kars is er geen plaats om zich te verbergen. Wild kijkt hij om zich heen. De ruimte waar hij staat, is zo goed als leeg. In het midden liggen de oude, gebarsten molenstenen. Ze zijn door een zware balk verbonden met het waterrad buiten. Boven de stenen hangt een houten trechter waarin ooit het graan gestort werd dat gemalen moest worden. In de hoek is een wenteltrap naar boven, maar Kars heeft geen tijd meer om die te beklimmen. Hij heeft ook geen tijd meer om weg te glippen uit

de molen. Buiten komen de voetstappen op de deur af.
Kars zit in de val!

De deur piept ... Kars duikt weg achter de molenstenen.
Couzijn komt binnen! Kars houdt zijn adem in, terwijl de
voetstappen dichterbij komen. Stof wervelt op en hij knijpt
zijn neus dicht. Als hij nu maar niet hoeft te niezen.
Hij hoort hoe Couzijn terugloopt naar de deur. Vertrekt
hij alweer? Nee! Hij trekt de deur dicht en zet die klem.
Zo kan niemand hem storen. Daarna gaat de kerel op zoek
naar de letters die de plaats van de zonnekroon zullen
verraden. Hij weet nu natuurlijk van Kars dat die in de
watermolen te vinden moeten zijn. Kars hoort hem rond-
lopen, maar durft niet te kijken. Hij maakt zich piepklein
achter de molenstenen. Als Couzijn naar links loopt, kruipt
Kars naar rechts en andersom; zo draait hij om de molenstenen heen om onzichtbaar te blijven.
De schurk zegt een lelijk woord en daarna klinkt het geluid
van een krakende traptree: hij gaat naar boven. Kars springt
op. Nu kan hij weg! Hij sluipt naar de deur en trekt er
zachtjes aan. O nee! Couzijn heeft hem zo stevig klemgezet
dat Kars hem niet open krijgt zonder een hoop lawaai te
maken. Boven zijn hoofd bonken de voetstappen van
Couzijn op de vloer. Ze gaan weer in de richting van de
wenteltrap ...
Radeloos kijkt Kars rond. Opeens ziet hij het raam. Het
zit op de plaats waar de balk door de muur verdwijnt naar

het waterrad. Zo snel als een haas klimt Kars op de balk en schuift naar het raam. Er haken splinters in zijn broek die door de stof heen in zijn vel prikken, maar hij let er niet op. Hij luistert alleen maar doodsbang naar de voetstappen die nu bij de wenteltrap zijn. Daar klinkt het kraken van de eerste tree al! Kars draait zich om en laat zijn benen uit het raam zakken. Hij ziet de voeten van Couzijn al op de trap ... Kars glijdt uit het raam, blijft even aan zijn vingers hangen en valt dan met een zachte plof in de brandnetels achter het waterrad. Hij knielt neer en drukt zich tegen de muur. Heeft Couzijn hem gezien? Komt hij naar het raam? Nee! Kars hoort hoe de kerel met veel gekraak de deur open wrikt. Even later ziet hij hem op het pad. Kars duikt weg achter het waterrad. Pas als Couzijn om de bocht verdwenen is, durft hij weer adem te halen. Zijn benen doen pijn van het hurken en hij trekt zichzelf aan het glibberige rad overeind. Zijn ogen glijden over het hout. Opeens spert hij ze wagenwijd open!

7. FLUW

'Kars! Kars, waar zit je?'

De boze stemmen van Loulou en Pippa galmen door het bos.

'Hier,' roept Kars en hij springt achter het waterrad vandaan waar hij meer dan een kwartier heeft gezeten om er zeker van te zijn dat Couzijn niet terugkwam. Hij zwaait heftig met zijn armen. 'Kom gauw!'

Pippa en Loulou lopen over het pad naar de watermolen. Hun haren hangen slap en druipend voor hun ogen. Hun kleren zijn drijfnat en hun schoenen soppen. Hun gezichten staan op zeven dagen onweer.

Kars let er niet op. Als ze vlak bij het waterrad zijn, juicht hij: 'Ik heb ze gevonden!'

'Wat heb je gevonden?' snauwt Pippa. De natte rouge vormt rare vlekken op haar wangen. 'Wij hebben jóu eindelijk gevonden. Lekkere held ben jij! Waarom liep je zo hard weg, bangerik?'

'Ik was niet bang,' zegt Kars beledigd. 'Ik wilde de schatkaart uit handen van Couzijn houden.'

'Je kwam ons niet eens helpen,' roept Pippa kwaad. 'Hij smeet ons in de rivier!' jammert Loulou.

'Waarom vielen jullie hem dan ook aan, suffe meiden? Meiden zijn ook zo stom, alsof je een groot mens zomaar even te pakken kunt nemen.'

Pippa ontploft bijna. 'Met zijn drieën hadden we hem best

de baas gekund! Als we hem gevangen hadden, hoefden we niet meer bang te zijn dat hij de zonnekroon voor onze neus wegpikt.'

'Droom lekker verder! Hij zou mij vrolijk naast jullie in de rivier hebben gegooid, en dan was hij foetsie geweest met de schatkaart. Ik dacht gewoon koelbloedig na en ik besloot de schatkaart te redden.'

Vóór een van de twee hier iets op kan zeggen, gaat Kars haastig verder: 'Couzijn was hier om naar de letters te zoeken, maar hij heeft niets kunnen vinden.' Hij wacht even en gooit dan trots zijn kin in de lucht. 'Maar ik zocht veel beter, want ik vond ze wél.'

'Waar?' roepen Pippa en Loulou tegelijk.

'Kom maar eens kijken, hier achter het waterrad.'

Ze wringen zich met z'n drieën in de kleine ruimte achter het waterrad en Kars wijst hen een kroontje dat met ruwe halen in het hout is gekrast, met daarnaast vier letters: FLUW.

'Wat knap dat je ze gevonden hebt,' roept Loulou.

'Waarom kwamen jullie me eigenlijk achterna?' vraagt Kars als ze door het bos teruglopen naar Loup-sur-Lesse. Ze nemen een andere weg de heuvel af, zodat ze Couzijn niet tegen het lijf lopen. Je kunt niet weten of hij hen ergens op staat te wachten.

'We zagen vanuit de coulissen dat er een oud vrouwtje achter je aanging,' vertelt Loulou. 'Het kon toeval zijn, maar we waren bang dat het Couzijn was. Zodra we onze rol gespeeld hadden, gingen we achter je aan.'

'Ik vertelde het toch al: hij kan zich echt meesterlijk vermommen,' zegt Pippa.

In het kamp van Couscous gaat er een gejuich op als de toneelspelers horen dat Kars, Pippa en Loulou de eerste vier letters te pakken hebben.

'We geven vanmiddag nog één voorstelling,' beslist Florijn. 'Maar na de tournedos van Louis pakken we in en gaan we meteen op weg naar Risé. Goed werk, Kars.'

'Hij is echt een held,' lacht Loulou. 'Een goede held weet wanneer hij dapper moet zijn en wanneer slim. Kars is heel slim geweest.'

De route naar Risé voert de kleine toneelgroep over heuvels en door dalen, en almaar door de bossen. Het wordt avond en nacht en nog steeds rijden ze verder. Kars zit bij Louis op de bok en ziet de schaduwen van de bomen onder de sterren voorbij glijden. Duizend krekels zingen in het lange gras in de berm. In een dal slaat een kerkklok twaalf uur.

'Heb je nog geen slaap?' bromt Louis.

Kars schudt zijn hoofd. Hij piekert over morgen ... dan moet hij weer op stap om letters te zoeken. Als hij daaraan denkt, krijgt hij kippenvel!

'Je hebt iet vast reuze naar je zin als held,' lacht de kok. 'Helden beleven graag avonturen ... en ies dit geen geweldig avontuur? Bofferd!'

8. Een list

'Hoe is het vandaag met onze held?' vraagt Zwarte Nel als ze de volgende morgen langs de woonwagen loopt. Ze geeft Kars een vette knipoog. 'Ga je je weer fijn in het gevaar storten?'

Kars zit op het trapje met de schatkaart op zijn knieën en lacht bleekjes. Hij heeft de hele nacht nachtmerries gehad. In zijn dromen kloste Couzijn weer rond in de water-molen, maar nu kreeg hij Kars wel te pakken! Zijn boos schreeuwende mond werd groter en groter tot het een enorme zwarte muil was die Kars naar binnen zoog. Held zijn is veel minder leuk dan hij altijd dacht.

Op het plein begint Florijn een potpourri te spelen op zijn accordeon: een bonte mengeling van liedjes danst over het plein. Zwarte Nel loopt door om zich te verkleden voor de voorstelling en Kars buigt zich weer over de schatkaart. Het tweede kruisje staat bij een kasteel. Kars staart ernaar en zucht diep. Het is een heel eind van hier naar het kasteel. Hoe moet hij daar komen zonder dat Couzijn hem te pakken krijgt? Hij denkt aan mama en aan papa-twee en snuft. Stel je voor dat hij ze nooit meer terugziet!

'Hé, huil je?'

Loulou ploft naast hem op het trapje. Kars kijkt verschrikt op. 'Natuurlijk niet,' snauwt hij. 'Ik ben geen meid! Meiden janken altijd, maar ik zweet. Dat komt omdat ik een list bedenk.'

'Een list?' vraagt Loulou.

'Ja, natuurlijk,' zegt Kars. 'Couzijn kent me nu, dus als ik niet oppas, pikt hij de schatkaart.'

'O ja,' zegt Loulou beteuterd.

Diede, de toneelmeester en souffleur, loopt net langs en heeft hun gesprek gehoord. 'Eens zien of jij een goede held zou zijn, Loulou,' plaagt hij. 'Wat voor list zou jij bedenken?'

Loulou lacht. 'O, dat is gemakkelijk, Diede. Wat Couzijn kan, kan ik ook: ik zou me vermommen.'

Kars springt vlug op. 'Hé, dat is best slim voor een meisje, ik had net precies hetzelfde bedacht!'

'Zal ik je helpen met je vermomming?' biedt Loulou aan.

'Vlug dan maar, Loulou,' zegt de souffleur. 'De voorstelling begint zo.'

Loulou en Kars rennen de woonwagen in, waar Loulou een pruik en een pet opduikelt. Ze smeert rouge op Kars' wangen en knoopt een rode boerendas om zijn nek. Kars herkent zichzelf bijna niet meer in de spiegel!

'Nu ben je een boerenjongen,' lacht Loulou. 'En weet je wat? Neem straks de hooivork maar mee die ik tegen de bok zal zetten. Dat past mooi bij je vermomming en je hebt meteen een wapen.'

Als de voorstelling begint, gaat Kars op weg met de hooivork over zijn schouder. Met die reuzenvork voelt hij zich heel wat veiliger! Achter zich hoort hij de stem van Haroun op het toneel schallen:

'Wie is de louche schurk die in de blaad'ren schuilt?

Ik rijg hem aan mijn zwaard, zodat de snoodaard huilt!'

In de coulissen wachten de anderen op hun beurt.

Kars draaft door de straten van Risé. Het is niet moeilijk om te zien waar het kasteel is: een eind buiten het dorp zie je de punttorens boven de bomen uitsteken. Er leidt maar één weg naartoe.

Kars is halverwege als hij bij een huis komt. Hij houdt verschrikt zijn pas in. Tegen de muur leunt een man. Kars moet langs hem, daar is niets aan te doen. Stel je voor dat het Couzijn is in een nieuwe vermomming! Maar Kars is nu ook vermomd ...

De man tikt tegen zijn pet en bromt: 'Bonjour.'

Dat is Frans voor goedendag, weet Kars. Het klinkt als: bonzjoer. Hij knikt stug, tikt ook tegen zijn pet en groet terug: 'Bonjour.'

Snel loopt hij verder en kijkt nog wel tien keer achterom. Maar de man blijft rustig tegen de muur staan.

Het is een hele klim naar het kasteel. Als Kars eindelijk hijgend boven aankomt, verstijft hij. O nee! De toegang tot het kasteel is versperd door een huizenhoog hek! Het kasteel is al heel oud en de torens brokkelen af. Het is zo gevaarlijk dat er niemand in mag.

Langzaam loopt Kars over de half verrotte planken van de

ophaalbrug. Hij grijpt het hek beet en drukt zijn neus tegen het gaas. Wat moet hij nu doen?

Hoe lang Kars daar heeft gestaan, weet hij niet, maar opeens hoort hij achter zich iemand roepen. Hij draait zich om en ziet met een schok een man op zich af draven. Het is niet de man die tegen het huis geleund stond. Deze man draagt een slobberig bruin pak en heeft een snor. Zijn haar is asblond. Hij grabbelt in zijn zak en brabbelt een stroom onverstaanbare woorden. 'Klee, klee,' hoort Kars ondanks zijn suizende oren. Duizelig van schrik denkt hij: Couzijn! Kars kan niet meer vluchten, want de man heeft de brug inmiddels bereikt. De kerel roept weer: 'Klee!' en wil iets tevoorschijn halen uit zijn broekzak. Een wapen? Kars klemt de hooivork stevig vast. Hij richt hem op de kerel en gilt: 'Waag het niet! Handen omhoog of ik rijg je aan mijn vork!'

9. Plons!

De armen van de man schieten als een pijl uit de boog de lucht in. De Franse woorden rollen nog sneller over zijn lippen. Kars verstaat er geen biet van. Hij denkt: waarom doet Couzijn zo raar? Hij kan me toch gewoon in het Nederlands uitschelden? Of is het soms een list? En hoe komt hij aan zulke rotte tanden?

Kars staat nu wel heel stoer te dreigen, maar hij weet niet hoe het verder moet. In een film lijkt het altijd zo simpel. Hij staart schaapachtig naar zijn gevangene. De hooivork in zijn handen trilt. Had hij maar een stuk touw, of handboeien. Hij kan Couzijn moeilijk dat hele eind voor zich uit de berg afjagen, hem nu en dan in zijn billen prikkend!

De man in het slobberige pak is een tijdje stil, maar hij wordt steeds ongeduldiger. Opeens roept hij nijdig, elk woord heel langzaam en precies uitsprekend: 'Zjéé lá kléé!' Hij wijst naar het hek en doet een stap naar voren.

Kars schreeuwt verschrikt en zwaait met de hooivork. De man maakt een luchtsprong om de gemene tanden te ontwijken. Hij landt op een verrotte plank ... en stort met een gil door de brug!

Kars kijkt als versteend naar het water dat hoog opspat. De man duikt proestend op en brult woedend. Zijn hoofd is opeens kaal. Op het water dobbert een asblond toupetje. De drenkeling schudt zijn vuist naar Kars.

'Bonjour,' mompelt die en hij zet het op een lopen. Hij rent niet naar het pad, want daar zal Couzijn hem zo te pakken hebben als die eenmaal op de kant is geklauterd. In plaats daarvan stormt Kars de struiken in die de oevers overwoekeren. Het zijn braamstruiken en ze zitten vol doornen, maar hij merkt het niet eens. Met zijn armen voor zijn gezicht geslagen worstelt Kars zich door de zwiepende twijgen, zigzaggend tussen de bomen en rukkend aan zijn kleren die telkens vasthaken. Hij moet zich verstoppen, en vlug!

Aan de achterkant van het kasteel staat hij hijgend stil. Hij is zijn pet, zijn hooivork en zijn pruik kwijt. De takken achter hem schudden nog, maar verder is alles dood-stil. Kars slaakt een lange, trillende zucht. Hij moet hier gewoon een uurtje wachten, en dan kan hij terug naar Couscous om hulp te halen. Als de acteurs hem maar geen watje vinden! Ik zeg niks over Couzijn, denkt Kars. Ik zeg gewoon dat het hek te hoog is.

Kars likt aan de schrammen op zijn armen en kijkt in het rond. Hij staat op een kleine open plek aan de rand van de slotgracht. Een woud van bomen, struiken en hoge varens sluit hem in. Eén boom is omgewaaid en ligt dwars over het water. De stam reikt helemaal tot aan het kasteel. En hier aan de achterkant staat geen hek ...

Zo kan ik er misschien in, denkt Kars opgewonden. Hij zet al een voet op de boomstam, maar dan ziet hij in de onderste takken van de boom, die half onder water liggen, een nest. Er zitten twee watervogels op met venijnige snavels. Ze kijken hem met felle kraalogen aan en pikken naar hem. Eén spert zijn snavel wijd open en blaast. Kars trekt vliegensvlug zijn voet terug. Hij draait zich om en laat zich op een rots zakken. Hij zal toch maar wachten.

Er gaat een tijd voorbij. Kars valt half in slaap in de warme zon. Hij droomt dat de struiken ritselen en schrikt wakker. Er ritselt echt iets in het hoge, dorre gras. Kars springt op en gilt. Vlak voor zijn voeten glijdt een slang!

10. ROT

De slang tilt zijn kop op en sist naar Kars. Het is een bruine slang met een gele band achter zijn kop. Kars bedenkt zich geen seconde. Hij wordt liever gepikt door een paar vogels dan gebeten door een slang! Met een reusachtige sprong belandt Kars op de omgevallen boom. Hij glijdt bijna uit, want de boomstam is spekglad van mos en vocht. Nog net op tijd kan hij zich vastgrijpen. De watervogels vluchten krijsend en met klapperende vleugels over de slotgracht weg, een boog van water opspattend. Kars klautert hals over kop, slippend en glijdend, over de boom naar de overkant.

Hijgend staat hij even later bij de muur van het kasteel. Hij tuurt naar de rotsen waar hij net gezeten heeft. De slang is niet meer te zien, maar hij zit daar vast nog ergens. Kars durft niet terug. Hij draait zich om en kijkt naar de kasteelmuur. Hij heeft geluk. Op één plek is het cement zo bros van ouderdom dat er veel stenen zijn losgeraakt. Er is een flink gat ontstaan. Het gat is bijna helemaal overwoekerd met brandnetels, maar je kunt erdoor kruipen om zo in het kasteel te komen.

Ik zit toch al onder de schrammen van de braamstruiken en de boom, denkt Kars. Daar kunnen nog wel een paar bulten van brandnetels bij. Een vlinder fladdert op als hij met een tak de meeste brandnetels plat slaat. De meester op school heeft verteld dat vlinders eitjes leggen op

brandnetels. 'Ga maar ergens anders eieren leggen,' zegt Kars en hij kruipt voorzichtig door het gat.

Het kasteel staat vol bomen. Ze hebben overal wortel geschoten: in spleten in de muren, op trappen en in raamopeningen. Ook groeit er overal gras en in de schaduw van de muren zijn de stenen groen en spekglad van het mos. Er is bijna niet meer te zien wat ooit binnen was en wat buiten.

Het kost wel duizend jaar om hier letters te vinden, denkt Kars moedeloos. Maar in ieder geval kan Couzijn mij hier niet pakken. Hij is buiten het hek en ik erbinnen. Kars dwaalt rond in de ruïne, voorzichtig om niet te struikelen en niets op zijn hoofd te krijgen. Hij tuurt op alle balken en stenen. Alles wat hij ziet, zijn spinnen, torren en onkruid.

Na een tijd stapt Kars onder een afgebrokkelde stenen boog door en komt op een plein. Er staat een waterput. Het dak is half ingestort en het touw met de emmer is weg. In de ronde wand, die van blokken zachte kalksteen is gemaakt, staat van alles gekrast: hartjes, namen, zelfs een galg! Kars loopt langzaam naar de put. Zijn ogen glimmen. 'Zou dat geen goeie plek zijn?' mompelt hij. 'Als je tussen al die woorden een geheime boodschap krast, valt het niemand op!' Hij zakt op zijn knieën en kruipt om de put heen. SIMON IS OP DIENTJE leest hij, en: LOU IS EEN KWAKZALVER. De zin MARGJE, WIL JE MET ME

TROUWEN? is weer doorgekrast. Sommige letters zijn
nog maar heel vaag, andere zijn verdwenen onder een laag
mos. Maar als Kars een varen optilt die in een barst groeit,
ziet hij opeens duidelijk een kroontje met daarnaast de letters ROT! 'Hoera,' brult hij.

Op dat moment knarst er een deur open aan de andere
kant van het plein. Een stem roept: 'Ben je daar?'
Kars springt overeind. In de opening staan twee meisjes ...
Hun haren hangen slap en druipend voor hun ogen. Hun
kleren zijn drijfnat en hun schoenen soppen. Hun
gezichten staan op zeven dagen onweer. Het zijn Pippa en
Loulou! Loulou heeft een sleutel in haar hand.
'Ben je gek geworden of zo?' vraagt Pippa, woest naar Kars
kijkend.
'We zullen je nóg eens helpen,' snauwt Loulou.
'Wat ... hoe ...' stottert Kars.
'Een vrouw vertelde me in de pauze dat er een hek om het
kasteel staat,' gromt Loulou. 'Haar man bewaakt hier de
boel. Ik heb haar gevraagd hem meteen naar het kasteel te
sturen, zodat jij erin zou kunnen. Ze heeft haar man onder
de douche uit gesleurd en hem op pad gestuurd met de
sleutel ...' Pippa schreeuwt kwaad: 'En wat doe jij? Jij smijt
hem in de gracht, sukkel!'
'Ik dacht dat het Couzijn was,' jammert Kars. 'Hoe kon ik
nou weten ...'
'Hij zei dat hij je aldoor duidelijk probeerde te maken dat

hij de sleutel had: *la clé*. Maar jij wou niet luisteren, want je was bang, zei hij.'

'Ik was niet bang, ik was voorzichtig!' schreeuwt Kars. 'Kan ik er wat aan doen dat ik geen Frans begrijp?'

'En toen hij in het water viel, verloor hij zijn toupet en zijn sleutel,' bijt Pippa hem toe. 'Die man boft dat we zo gauw mogelijk naar het kasteel zijn gegaan om te kijken of het hek open was. We hebben wel een half uur moeten duiken voor we zijn toupet en de sleutel terug hadden.'

'De bodem lag vol stinkende prut,' moppert Loulou.

Kars heeft een vuurrood hoofd gekregen. Mooie held is hij! Maar hij gilt: 'Het is jullie schuld, stomme meiden. Hoe kwamen jullie erbij dat je mij moest helpen? Een held heeft nooit een sleutel nodig. Die komt heus wel binnen, al is zo'n prutshek tien meter hoog! En kijk ... ik heb de letters gevonden!'

11. Kars in het nauw

De volgende dag hobbelen ze laat in de middag Crouton binnen, een gehucht op een hoge vlakte boven in de heuvels. Kars, die weer naast Louis op de bok zit, kijkt zijn ogen uit. Hij heeft Crouton vorig jaar op het journaal gezien: de route van de Tour de France liep door het dorp!

'Iek ga soep met croutons maken ter ere van Crouton,' zegt Louis met een brede grijns. 'Je weet wel, van die knapperige balletjes.'

Pippa is van de voorste woonwagen gesprongen en loopt de rij langs. 'Paps wil vanavond nog een voorstelling geven, jongens,' zegt ze. 'Als we op het plein zijn, gaan we meteen met z'n allen opbouwen.'

Louis trekt een lelijk gezicht. 'Ach nee, iek had Haroun willen vragen even suiker voor mij te halen. Iek moet gaan koken en daarna zijn de winkels dicht. En iek was nog wel van plan petitfours te maken voor bij de koffie.'

'Petitfours, wat zijn dat?' vraagt Kars.

'Gebakjes van één hap,' legt Louis uit.

'Mmm, lekker,' zegt Kars. 'Zal ik suiker voor je halen?'

'O, als je dat wilt doen!' zegt Louis met een stralend gezicht.

Het opbouwen van het toneel, het decor en de coulissen is voor de anderen routine. Kars loopt daarbij toch maar in de weg. Hij is blij dat hij het dorp kan verkennen waar de

Tour de France is geweest. Hij herkent een paar plaatsen: in de straat waar hij nu loopt, trok de winnaar een sprint die hem een grote voorsprong gaf, en hier op de hoek fietste het peloton bijna tegen een journalist aan! Veel te gauw naar zijn zin is Kars bij de supermarkt. Hij koopt een pak suiker en een fles siroop, waar Louis ook om gevraagd heeft.

Op de terugweg stelt hij zich voor dat de wielrenners weer door de straten stuiven en dat hij kijkt en juicht. Al dromend slaat hij een hoek om.

Boem! Hij botst hard tegen iemand aan.

'S-sorry!' stottert hij.

'Sorry, ik was ...' zegt de ander.

Ze doen een paar stappen terug en kijken elkaar aan.

'Couzijn!' schreeuwt Kars. Hij herkent hem van de foto. Gelukkig is Couzijn te verrast om iets te doen. Hij lijkt nog harder te schrikken dan Kars. Kars smijt de fles siroop in de richting van de verrader. Het ding spat in duizend scherven uiteen op de muur. Couzijn krijgt de volle laag van de plakkerige siroop. Twee tellen later raakt het pak suiker hem en scheurt open.

Kars blijft niet staan om te kijken hoe de acteur eruitziet na het bombardement. Hij rent weg zo hard als hij kan, terwijl Couzijn achter hem woest brult.

Kars vliegt het kamp van Couscous binnen en springt de woonwagen in waar hij logeert. Alle acteurs zijn nog druk aan het bouwen en niemand heeft hem gezien. Trillend duikt hij in een hoekje in elkaar. Hoe kan het dat Couzijn hier al zo vlug is? Hij kan toch niet voor hen uit zijn gereisd? Hij kon niet weten dat Crouton de volgende stop in de tournee was!

Kars krimpt nog verder in elkaar en knijpt zijn ogen stijf dicht. Hij wil naar huis! Hij heeft zijn buik vol van avonturen. Hij is geen held, hij is bang. Hij durft er niet aan te denken wat Couzijn met hem zal doen als die hem in zijn vingers krijgt. De schurk is vast razend omdat Kars hem heeft veranderd in een suikermonster. En toch moet Kars morgen weer moederziel alleen op pad om de laatste letters te zoeken!

'Ik durf niet,' fluistert hij voor zich uit. 'Ik durf echt niet.' Maar hij weet niet hoe hij dat moet vertellen aan de mensen van Couscous. Ze zullen hem vreselijk uitlachen. Hij was toch een held? Een held op sokken!

Ik loop weg, denkt Kars. Maar dat kan niet. Hij heeft geen geld en hij weet de weg niet. Zal hij papa-twee opbellen? Maar dan moet hij iemands telefoon lenen en dan weten ze allemaal dat hij een bangerik is. Wat moet hij doen? Opeens denkt hij aan Loulou. Zij is altijd aardig voor hem geweest. Zal hij haar om raad vragen? Misschien weet ze er iets op. Ze bedacht gisteren ook zo knap dat plan van die vermomming. Kars had gelogen toen hij zei dat hij precies hetzelfde had bedacht. Hij wist niets te bedenken, maar dat wilde hij niet toegeven.

'Ik durf het haar niet te zeggen,' mompelt hij. 'Stel je voor dat ze begint te lachen. Maar misschien ... misschien kan ik haar een briefje schrijven.'

Het is altijd gemakkelijker om iets moeilijks op te schrijven dan om het tegen iemand te zeggen. Toch valt het niet mee. De anderen zijn buiten al aan het eten als Kars zijn briefje klaar heeft. Hij leest het nog een keer over.

Beste Loulou,

Ik moet je iets stoms zeggen. Ik ben heel bang voor Couzijn. Jullie denken dat ik een held ben. Dat dacht ik ook, maar ik ben het toch niet. Nu weet ik niet meer wat ik moet doen.

Groetjes, Kars

PS Niets tegen de anderen zeggen!!!!!!

'Kars,' roept Loulou, en ze trekt de deur van de woonwagen open.

Kars frommelt verschrikt zijn briefje tot een prop en gooit die op de vloer.

'Zit je hier?' zegt Loulou. 'Wat ben je aan het doen? Het eten is klaar.'

'Ik kom eraan,' zegt Kars met een hoogrode kleur.

12. Een nieuwe list

'Hé maatje, waar ies mijn suiker?' vraagt Louis, de kok, als hij Kars een kom soep geeft.

'In Couzijn z'n haren,' zegt Kars sip. Hij vertelt over zijn avontuur van vanmiddag. De acteurs van Couscous hangen aan zijn lippen.

'En gooide je zomaar die spullen naar hem toe?' vraagt Loulou ademloos. 'Jij durft wél!'

'Wat een mop,' schatert Pippa. 'Je hebt 'm goed te pakken, Kars!'

Kars bijt een paar croutons stuk, terwijl hij stoer probeert te lachen. 'Och ja,' zegt hij, alsof hij elke dag boeven in suikermonsters verandert.

'Wat een kerel,' brult Haroun en hij geeft Kars een mep op zijn schouder.

Louis gaat nog een keer met de soep rond en zegt: 'Jullie moeten nog wat plaats in je buik overhouden voor het toetje, vrienden. Iek heb een verrukkelijke chocolademousse.'

'Oh Louis ...' kreunt de lange, magere Tumtum. 'Ik zak nog eens door het toneel van al jouw lekkere toetjes!'

De anderen schateren van het lachen.

Loulou is de woonwagen ingegaan om een trui te pakken, want het wordt fris. Als ze terugkomt, zegt ze verlegen tegen Kars: 'Je hebt vast zelf al iets bedacht, maar ... ik heb een plan voor morgen.'

'O, vertel het maar,' zegt Kars grootmoedig.

'Nou … je hebt Couzijn gisteren voor de gek gehouden door je te vermommen. Daar trapt hij vast niet nog een keer in.'

'Nee,' grinnikt Pippa, 'en zeker niet nu hij Kars wil vermoorden na zijn suikeraanval.'

Kars wordt bleek.

'Couzijn zal denken dat je zoals altijd op pad gaat bij het begin van de eerste voorstelling,' gaat Loulou verder. 'Rond die tijd zal hij morgen iedereen die wegloopt van het plein, scherp in de gaten houden. En daarom … moet je veel eerder vertrekken!'

'Gaaf plan,' roept Pippa uit.

Kars knikt. 'Dat heb ik … dat had ik kunnen bedenken.'

'Enne …' zegt Loulou aarzelend. 'We kunnen vóór de eerste voorstelling terug zijn, dus als je wilt, gaan Pippa en ik met je mee.'

Zodra Kars zijn chocolademousse op heeft, klimt hij haastig de woonwagen in. Hij is erg opgelucht door het prachtige plan van Loulou. Van Couzijn zal hij morgen geen last hebben, en bovendien zijn ze met z'n drieën. Daarom wil hij zijn briefje oprapen en in duizend snippertjes scheuren. Loulou mag niet lezen wat hij geschreven heeft! Maar hoe hij ook zoekt, hij kan de prop papier nergens vinden. Hij snapt er niets van. Zit er soms een muis in de woonwagen die de prop naar zijn holletje heeft gesleept als nestmateriaal?

De volgende morgen stommelen Kars, Pippa en Loulou voor dag en dauw de woonwagen uit. Het is nog donker.

'Deze kant op,' fluistert Loulou. 'De letters zijn verstopt in het veen, ergens op een driesprong.'

Veen is een soort moeras, weet Kars. Hij trekt een lelijk gezicht. Hij houdt niet van blubber waar je tot over je oren in wegzakt.

Ze lopen over een slingerend pad door een strook bos. Als ze onder de bomen uit komen, zijn de sterren verbleekt en zien ze een streep rood in de lucht.

'Het wordt al dag,' zegt Pippa.

Loulou grinnikt: 'Wedden dat Couzijn nog ligt te snurken? Er is niemand achter ons. Onze list is gelukt.'

Grapjes makend en kletsend stappen ze stevig door. Over het veen sliert een lage, witte nevel, maar die lost al gauw op in de stralen van de opkomende zon. Overal om hen heen wuiven witte pluizen aan lange halmen en tjirpen vogeltjes. Het is nu helemaal dag geworden.

Het pad dat ze volgen, kronkelt tussen pollen hoog, geel gras, lage struikjes en grote plassen waarin de lucht zich weerspiegelt. Af en toe is het zo modderig dat hun schoenen erin vastgezogen worden.

'Wie noemt dit een pad?' moppert Pippa.

Ze hebben al meer dan een uur gelopen als ze in de verte een paal zien. 'Misschien is dat een wegwijzer,' zegt Kars. 'Zou daar de driesprong zijn?'

Kars heeft het goed geraden. Even later komen ze op een driesprong, aan de rand van een veld vol zwarte modder. De wegwijzer die er staat, is al heel oud en bedekt met zwammen. De namen zijn vaag en soms maar half te lezen. De ene arm wijst naar Crouton, de tweede naar Risé en de derde naar Val-de-nog-wat.

'Daar, onder aan de paal,' roept Loulou opgewonden. Hun ogen dwalen naar beneden, waar in het hout met ruwe halen een kroontje is gekrast. Voor ze naar letters kunnen zoeken, gilt Pippa: 'Zonnedauw! Moet je zien, bij Kars z'n schoen ... een vleesetende plant!'

Kars springt in paniek opzij. Hij botst met een klap tegen de wegwijzer, die met een scherp gekraak afbreekt. De paal tuimelt met Kars en al in de modder ... Loulou kan Kars nog net op tijd grijpen!

Doodsbleek kijken ze naar de wegwijzer die borrelend wegzinkt in het moeras. Bellen stijgen op en klappen open. Ze stinken verschrikkelijk.

'Wat doe je nou?' krijst Pippa. 'Sukkel!'

Kars let niet op haar. Hij kijkt bang om zich heen en vraagt: 'Waar is die vleesetende plant?'

'Het is alleen maar zonnedauw,' zegt Pippa woest. 'Die vreet jou heus niet op, hoor. Je kijkt te veel griezelfilms!'

'Zonnedauw is een klein plantje,' vertelt Loulou. 'Het groeit in natte gebieden. Pippa gilde omdat het zo zeldzaam is, je ziet het bijna nooit. Kijk uit, je staat er bijna bovenop.'

Kars kijkt sip naar de grond, waar een plantje groeit met ronde blaadjes waarop fijne rode draadjes zitten. Aan elk draadje hangt een druppeltje. Op een van de blaadjes worstelt een vliegje om los te komen.

BLOEB klinkt het achter de drie speurders: de wegwijzer is voorgoed verdwenen, met letters en al.

'Door Kars z'n stommiteit kunnen we fluiten naar de schat,' jammert Pippa.

Kars laat zijn hoofd hangen, maar opeens roept hij: 'Wacht eens ... we zijn allemáál stom!'

'O, dankjewel,' mokt Pippa.

Kars grabbelt haastig onder zijn T-shirt en trekt de schatkaart tevoorschijn. 'We hadden helemaal niet naar het veen hoeven gaan,' zegt hij terwijl hij de kaart openvouwt. 'Kijk maar, op de schatkaart staan wel honderd namen van dorpen, grotten en bossen. En we hebben niet alle letters, maar wél een heleboel ...'

Pippa en Loulou slaken een kreet. Ze snappen wat Kars bedoelt. Opgewonden buigen ze zich over de schatkaart. Hun ogen glijden over alle namen, op zoek naar de letters FLUW en ROT.

'Fluweelgrot,' schreeuwt Kars triomfantelijk. 'Kijk, hier!' Hij plant zijn vinger op een hoek van de schatkaart. 'Dat moet het zijn. In die grot ligt de zonnekroon!'

13. De Fluweelgrot

Het nieuws dat Kars, Pippa en Loulou weten waar de zonnekroon verstopt is, zet heel Couscous op stelten.
'Inpakken,' schreeuwt Florijn. 'Haal de pony's, we vertrekken meteen!'
Voor de verbaasde ogen van enkele toeschouwers, die al vroeg op de markt staan om een goed plaatsje te hebben, worden het decor en de coulissen afgebroken.
'Hé,' roept een jongen met een pet. 'Er was toch een voorstelling om elf uur?'
'Om elf uur over drie dagen,' belooft de troubadour, 'als we weer terug zijn. We hebben dringende zaken af te handelen.'

Na een uur rijden de woonwagens Crouton al uit. Kars kijkt aldoor ongerust achterom. Het kan bijna niet anders of Couzijn heeft hen zien vertrekken. Maar achter hen op de weg is nog niets te zien.
'Jij denkt wat ik denk,' fluistert Loulou, die naast hem zit. 'We moeten een list bedenken om Couzijn af te schudden ... en ik denk dat ik er een weet.'
'Wat dan?' vraagt Kars.
'Couzijn volgt de woonwagens. Daarom moeten die voor een dwaalspoor zorgen. Wij smeren hem intussen met z'n tweetjes op een van de pony's naar de Fluweelgrot.'
'Hoe wil je dat doen? Elke pony trekt een woonwagen.'

'We moeten een van de woonwagens verstoppen!'
Loulou springt van de bok en rent naar de voorste wagen,
waar Florijn is. Ze legt hem haar slimme plannetje uit.
'Een prima idee,' grinnikt de baas van Couscous. 'Laat de
wagens stoppen en span Potpourri uit.'
Potpourri is de grootste pony, en hij heet zo omdat zijn
vel een bont mengsel van kleuren is: wit, zwart en bruin.
Terwijl Zwarte Nel hem bij de teugel houdt, duwen de anderen de woonwagen diep de struiken in. Tumtum, Kars en
Haroun zoeken flinke dennentakken om elk plekje dat nog
zichtbaar is, te bedekken.
'Je ziet er geen schroefje meer van,' zegt Haroun even later
trots, terwijl hij zijn handen afklopt.

'Snel,' zegt Florijn, 'wegwezen voordat Couzijn om een bocht verschijnt en ziet wat we aan het doen zijn.'

Iedereen klautert haastig in de overgebleven twee woonwagens, behalve Kars en Loulou. Zij klimmen op Potpourri en zwaaien naar de rest. 'We zien elkaar weer in Val-de-Clou,' zegt Loulou. 'Mét de zonnekroon, hoop ik!'

Pippa kijkt haar twee vrienden jaloers na terwijl ze verdwijnen in het bos.

Het is half drie als Loulou Potpourri inhoudt bij een donkere opening in de rotsen. 'Dit moet de ingang van de grot zijn,' zegt ze.

Ze laten zich van de rug van de pony glijden.

'Couzijn zijn we kwijt,' lacht Loulou. Ze hebben de hele weg goed opgelet, maar de schurk heeft zich niet één keer laten zien.

Kars buigt wat takken voor het gat weg en gluurt naar binnen. 'Het is maar goed dat we zaklantaarns hebben meegenomen,' zegt hij. 'Het is daar stikdonker.'

Loulou knipt haar lamp aan en loopt de grot in. Kars loopt aarzelend achter haar aan. Ze kunnen maar net staan, zo laag is het dak van de grot. Na een paar meter buigt er een brede gang naar links en een andere, smallere loopt naar rechts. Kars schijnt met zijn lamp in de smalle tunnel. De wanden glinsteren van vocht. 'Kijk,' roept hij uit. In het licht van zijn lamp glimt een kroontje dat in de rotsen is gekrast.

'Die kant op,' juicht Loulou.

Ze volgen de kronkelende tunnel die naar beneden loopt en dieper en dieper de grond in gaat. Kars gaat voorop. Het licht van zijn lamp danst in het donker. De wanden van de tunnel komen steeds dichter naar elkaar toe. Ook het plafond wordt steeds lager. Kars kijkt er ongerust naar. Even verderop wordt de gang nog nauwer! 'We-we zitten verkeerd, denk ik,' piept hij.

Maar dan ziet hij weer een kroontje op de muur. Hij laat zich op zijn knieën zakken en begint te kruipen. Loulou kruipt vlak achter hem, hij hoort haar hijgen.

'Au!' roept Kars, want hij stoot zijn hoofd aan het plafond.

'Op je buik,' raadt Loulou hem aan.

Plat op hun buik kruipen ze voort. Kars duwt zich met zijn tenen vooruit. Het bloed bonst in zijn oren. Hij heeft het gevoel dat hij geen adem meer krijgt. Het lijkt wel of de grot hem wil doodknijpen! Net als hij het gevoel heeft dat hij het niet meer uithoudt, wordt de gang wijder en hoger. Zo snel als hij kan, schuift Kars verder en gaat opgelucht staan. Hij schijnt met zijn lamp in het rond. Ze staan in een hoge, wijde ruimte vol lange, grillige stenen punten. De punten hangen van het dak van de grot naar beneden en wijzen van de vloer naar boven. Het ziet er prachtig uit.

'Dat is van druppelend water,' weet Loulou. 'De regen sijpelt van boven door de rotsgrond de grot in. De rotsen zijn van kalk en elk druppeltje neemt daar een beetje van mee. Ten slotte komt zo'n druppel hier aan en wordt er van de kalk weer nieuwe rots gebouwd. Dat duurt eeuwen en eeuwen ...'

In het licht van hun lampen zien ze de druppels water overal glinsteren. Hier en daar hoor je ze ook vallen met een galmend PLOINK.

'Hoe moeten we nu verder?' vraagt Kars zich af.

'Daar is weer een kroontje,' zegt Loulou. Ze wijst op een nauwe gang die in de rotswand verdwijnt. Een gang waarin je op je buik moet schuiven om erdoor te kunnen! Kars wordt heel bleek. Al krijgt hij een miljoen euro, dát durft hij niet meer!

Loulou kijkt hem verbaasd aan. 'Wat is er?'

'Ik-ik heb opeens heel erge buikpijn,' liegt Kars. 'Ik geloof niet dat ik nog verder kan.'

Loulou schudt langzaam haar hoofd. 'Dat is het niet, hè? Je bent bang. Maar dat geeft toch niet?'

'Ik eh..., ik eh...' stottert Kars. Hij krijgt het heel warm, ook al is het koel in de grot.

'Ik heb je briefje gevonden,' zegt Loulou zachtjes.

Kars wordt knalrood, maar Loulou gaat verder: 'Het maakt niet uit, wacht maar gewoon hier. Ik ga wel even kijken.'

En weg is ze, de gang in. Maar nog geen tien tellen later klinkt haar stem: 'Kars! Het is maar een heel kort tunneltje. Kruip er eens in ... dan kun je mijn hand al voelen.'

Kars gaat aarzelend op zijn buik liggen en steekt zijn arm in het gat. Hij reikt wat verder ... nog verder ... dan voelt hij de vingers van Loulou. Hij haalt diep adem en zet zich

af. Even later is hij aan de andere kant van de tunnel.
'Cool,' juicht Loulou. 'Zie je dat je wél een held bent? Een
held is niet iemand die alles durft, een held is iemand die
ergens bang voor is en het tóch doet!'
Kars lacht blij, maar dan valt het licht van zijn zaklantaarn
plotseling op een schim achter haar rug. Zijn ogen puilen
uit als hij ziet wie het is. Hoe kan dat? Hij gilt: 'Pas op,
achter je ... Couzijn!'

14. Feest!

Loulou draait zich met een ruk om. Een paar meter verderop staat de schurk Couzijn. Hij heeft een gouden kroon in zijn handen!

'De zonnekroon,' hijgt Kars. Hij wordt opeens zo boos dat hij geen tijd heeft om bang te zijn. Die valse Couzijn moet met zijn tengels van de kroon af blijven! In een flits smijt hij zijn zaklantaarn naar het hoofd van de verrader. Couzijn duikt weg met zijn armen voor zijn gezicht om zijn hoofd te beschermen. De gouden kroon rolt over de rotsgrond. Kars springt eropaf. 'Hebbes,' gilt hij. 'Wegwezen, Loulou!' Als hij de kroon van de vloer grist, klinkt er een frommel-geluid. Kars kijkt sip naar het ding in zijn handen. 'De-de kroon is van karton,' stottert hij.

Couzijn krabbelt overeind en wrijft over zijn elleboog, die hij hard tegen de rotsen gestoten heeft. Hij grinnikt een beetje zuur: 'Ik was even vergeten dat je een held bent, Kars. Oei, au ... Anders had ik nog wel drie keer nagedacht voor ik dit grapje uithaalde. Wat je daar hebt, is niet de zonnekroon, maar je verjaardagskroon. Je bent vandaag toch jarig? Hartelijk gefeliciteerd!'

'Ik? Jarig?' Kars trekt een gek gezicht. Dat was hij helemaal vergeten!

Opeens barst er om de hoek van de wijde gang muziek los. 'Lang zal hij leven,' klinkt het uit heel veel monden.

'Kom mee,' roept Loulou met een brede grijns. Ze pakt

Kars bij een hand en sleurt hem mee.

Als ze de hoek om gaan, komen ze in een hoge grot. Plotseling springen er wel honderd lichtjes aan! Rode, witte,
groene, gele ... Kars knippert met zijn ogen. De grot is
versierd met slingers en ballonnen. Voor zijn neus staan alle
acteurs van Couscous vrolijk te zingen! En zij niet alleen,
ook papa-twee en mama met baby Silka op haar arm. En
oma, opa, buurman Dolf, Pip en Moustafa uit zijn klas en
nog veel meer familie en vrienden. Pip en Florijn spelen
accordeon zodat het galmt door de grot.
'Hartelijk gefeliciteerd met je verjaardag,' roept iedereen als
het lied uit is, en ze komen allemaal tegelijk naar Kars om
hem een hand te geven.
'Hoe vond je je avontuur, Kars?' vraagt papa-twee. 'Was het
geen prachtig cadeau?'
'Maar ... maar ...' brengt Kars uit. 'Was het allemaal niet
echt dan? De schatkaart, Couzijn, de zonnekroon,
Couscous ...'
'Couscous is wél echt,' roept Pippa. 'Je vader heeft met ons
het hele verhaal bedacht en wij vonden het leuk om mee te
doen. We zijn niet voor niets acteurs!'
'W-wist jij het ook al die tijd?' vraagt Kars aan Loulou.
Ze knikt lachend.
'En nu krijgen we een echt grotfeest,' glimlacht mama
terwijl ze Kars een aai over zijn haren geeft. 'Met een heel
grote taart.'

Langzaam loopt Kars naar de taart, waarop
tien kaarsjes branden. Alle mensen om hem heen
juichen en klappen. Hij heeft het gevoel dat hij droomt.
'Het zal moeilijk zijn om volgend jaar weer een goed
cadeau te bedenken, Kars,' grinnikt papa-twee. 'Dan
wil je zeker een nog groter avontuur!'
'Ik? Eh...' zegt Kars geschrokken. 'Ik vond het héél leuk,
maar ...' Hij kijkt hulpeloos om zich heen.
Loulou duikt naast hem op. 'Dat zou geweldig zijn,
meneer,' lacht ze. 'Maar een echte held hoort een heldin te
hebben. Voor gevaarlijke avonturen kun je maar beter met
z'n tweeën zijn! Mag ik volgend jaar met Kars mee, meneer,
als er weer een avontuur komt?'
'Ja!' zegt Kars opgelucht. 'En anders wil ik graag skeelers,
pap. Die vind ik ook vet!'

Op pagina 73 speelt Pip accordeon op het feest van Kas.
Wil je meer weten over Pip? Lees dan 'Smidje Smee in de
puree'. Het gaat niet goed met restaurant Smidje Smee.
Pip en zijn zus Jodi bedenken eeen reddingsplan. Daarmee
wordt Smidje Smee beroemd! Maar wie is die enge meneer
die steeds in het restaurant komt eten?

In deze serie zijn de volgende Bikkels verschenen:

De zonnekroon
Smidje Smee in de puree
Het dieventeken
De tweelingoma
Klus4run
Gewoon, Marjolein
Een behoorlijk vreemd rijtjeshuis
Vals spel!

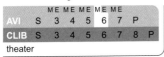

LEES N!VEAU

	ME	ME	ME	ME	ME		
AVI	S	3	4	5	6	7	P
CLIB	S	3	4	5	6	7	8	P

theater

Toegekend door Cito i.s.m. KPC Groep

De Nederlandse
Kinderjury
2010

1e druk 2009

ISBN 978.90.487.0149.0
NUR 282

© 2009 Tekst: Monique van der Zanden
Illustraties: Helen van Vliet
Vormgeving: Rob Galema
Uitgeverij Zwijsen B.V., Tilburg

Voor België:
Uitgeverij Zwijsen.be, Antwerpen
D/2009/1919/79